KB096612

종이로 느끼는 공감

행시인 지음

차 례

작가의 말

안녕하세요, 작가 행시인입니다.
"행시인"이라는 작가명은
"행복을 꿈꾸는 시인"이라는 의미입니다!

이 책을 쓰게 된 이유는 간단합니다.
제가 살면서 얻고 느낀 감정·느낌 등을
글귀로 표현하고 싶었습니다.

아무래도 저의 감정이나 생각, 마음 등을 가지고 썼기에
여러분들에게 얼마나 공감이 갈지는 잘 모르겠네요.
글귀들 중 공감이나 이해를 하는 부분도 있고
못 하는 부분도 있을 것입니다.

당연한 얘기지만 저의 글귀들은
감정·감성을 바탕으로 쓴 것이라
독자의 성격·성향에 따라
느낌이 다를 수 있다는 점 이해바랍니다.

사랑이란 너무 늦게 찾아오는 것인 줄 알았지만

사실 내가 늦게 눈치챘을 뿐이었어

웃고 다니기엔 너무 힘들고
울고 다니기엔 웃음을 강요하는 세상

먼저 살아본 사람은 없다

내 인생은 내가 첫 주인이니까

남들은 나에게 속고 있다 말한다
근데 가끔씩은 속고 사는 것도 좋다

하루를 숨 쉬여 살아가기 위해
그대는 얼마나 힘이 들었나요
오늘은 이만 쉬어요
또 하루를 숨 쉬기 위해
힘들 그대를 아니까

난 언제나 준비되어 있지만

활약할 우대가 없어 시작하지 못하지

외로움을 표현하는 두 가지 방법

하나는 완전 어둡기

하나는 완전 환하기

나에게는 오직 그대 하나면 되는데

그대에게는 내가 없으면 더 행복할 것 같아 보여

그대가 잘나서일까 내가 못나서일까

잘난 네 곁에 못난 내가 있어서일까

한 번의 다짐으로 노력을 하게 되고
몇 번의 노력 끝에 능력을 얻게 되고
능력을 유지하기 위해 다시 노력을 하게 되고
노력을 하다 보면 새로운 다짐을 하게 된다

언젠간 꼭 빛날 것이라 믿는다
이름부터 찬란히 빛나는 그대기에

아기 땐 하염없이 울었고

어릴 땐 아프다고 울었고

학생 땐 화가 나서 울었고

지금은 사랑이 날 울린다

때론 아무 말도 하지 않을 때
가장 메시지가 잘 전달되더라

혹시 오를 때를 준비하기엔

내 나이가 너무 어리고

그렇다고 아직 괜찮다고 하기엔

내가 어떻게 될지 모르겠어

모든 사람들이 그대를 제 2의 누군가라고 해도

제게 당신은 그저 제 1의 당신입니다

나는 주변 사람들만을 위해서 살았는데도

이렇게 힘들어했는데

많은 사람들을 위해 살아 준 그대는

얼마나 힘이 들었을까요

나의 간절한 기도가

이뤄지지 않는 것은

나보다 더 간절한 누군가의 기도가

이뤄지고 있기 때문이려나

대부분의 인생은 실패한 인생이다

인생은 성공의 순간보다

실패의 순간이 더 많으니까

나는 눈물로 밤마다 기도해

난 힘들어도 넌 잘 되라고
나 같은 네가 되지 말라고

누군가의 죽고 싶다는 말은

살려달라는 누구보다 간절한 외침이다

웃어서 행복한 것이라면

울어서 불행한 것일까

쓸데없는 기쁨은 있어도

쓸데없는 감동은 없다

아무 이유 없이 떨어지는 눈물이

가장 사연 많은 눈물이다

내 눈앞에 있는 한없이 강한 너는
내 눈 밖에서 한없이 약한 사람인 걸

그대가 눈앞에 있을 땐 볼 수 있어서 감사하고
눈앞에 없을 땐 추억을 떠올릴 수 있어서 감사하고
잠이 들었을 땐 꿈에 나타나줘서 감사해

중요한 것은 마지막에 나오는 것이 아니라

오든 부분에 스며들어있다

혹시 지금 부모님을 엄마, 아빠라고 부르고 있다면
엄마, 아빠라고 최대한 많이 부르세요
엄마, 아빠일 때는 기회가 한 번 남아있지만
어머니, 아버지가 되면 바꿀 기회가 없으니까요

엄마, 아빠가 주는 정과
어머니, 아버지가 주는 무게감은 다를 테니

옛날엔 노력도 인정받는 시대였지만

지금은 능력만이 인정받는 시대다

세상에게 관심을 받을 수 있는

유일하고도 짧은 순간이

죽음이라는 것에 안타까울 뿐이다

세상에서 가장 슬픈 꿈은

자신과 같은 사람들을 위한 꿈이다

가난의 기준은 있어도 부의 기준은 없다

자신보다 못난 사람은 무시하고 싶고
자신보다 잘난 사람은 꼴 보기 싫어서

환상 속에서 살고 싶은 마음은

고통의 배로 생기고

현실에서 살고 싶다는 생각은

기쁨의 반안 남는다

억지로라도 웃기엔 웃을 곳이 없었고
그렇다고 울기엔 울 곳마저 없었다

내가 말하는 것보다

상대의 말을 듣는 것이 중요하다면

난 누구한테 말을 할 수 있나요

나의 옥표는 부자도 아니고 유영인도 아니다

그저 내가 아끼던 사람들에게 인정받는 것뿐이다

당연한 것이 당연하지 않고

당연하지 않은 것이 당연한 것이

당연한 세상이 되어버렸다

너와 함께 너의 장소를 가보고 싶어
너의 장소가 우리의 장소가 되도록

나의 죽기 전 마지막 소원은

내가 사랑했던 사람들에게

기억에 남는 사람이 되는 것이다

간섭이라는 단어를

관심이라는 단어로 포장하지 마라

토와 일만 반복하게 해달라는 소원이

토요일과 일요일만 있길 빌었던 것인데

회식 때문에 토하고 다음 날 일하기로 이뤄졌다

나는 이 세상을 떠날 때에
많은 것을 두고 떠나노라

당신을 사랑하던 마음도
누군가를 미워하던 마음도
잠깐씩 왔다 갔던 행복도
세상을 향한 판단도

많은 것을 그대 앞에 두고 떠나노라

분홍색 의자를 보니 문득 그대가 떠오르는군요

분홍색을 좋아하던 그대

그대 앞에 분홍색을 좋아한다며

다가갔던 그때가 생각이 나네요

그때부터 지금까지

그대에게 전하지 못한 말이 하나 있어요

사실 난 분홍색보다 그대를 더 좋아해요

구름 한 점 없이 맑은 하늘을 보면

하얀 구름이 보고 싶고

구름이 두둥실 떠있는 하늘을 보면

맑은 하늘이 보고 싶어지는

청개구리 같은 내가

왜 그대는 항상 변함없이 보고 싶을까

속이 자꾸 울렁거리길래

내가 뭘 잘못 먹었나 생각해 보고

어딘가 안 좋은가 생각도 해봤지만

답이 나오지 않았다

그러다 그대를 생각해 보니 답이 나왔다

속이 울렁거렸던 게 아니라

그대 생각에 맘이 일렁이던 것이다

나는 그대라는 우지개를 좋아한다

그대는 루비처럼 붉게 빛나고
아름답게 지는 주황빛의 노을 같고
노랗게 핀 예쁜 꽃 한 송이 같으며
힘든 내게 그늘이 되어주는 초록빛의 나무가 되어주고
푸른 바다처럼 보고만 있어도 내 맘을 평안해지게 해주여
보라색 옷을 입은 황제처럼 내 맘속의 하나뿐인 주인공이다

남색은 내가 지워버렸다
남들 눈에는 띄지 않는 우지개로 만들고 싶어서
나만의 우지개로 남기고 싶어서

창문에 비치는 나의 모습

창문 너머로 보이는

가로등 불빛안이 비추는 밤거리

거리 위에 그려지는 걸어가는 그대의 모습

쓸쓸히 걸어가는 그대를 안아주고 싶어 뛰쳐나갔지만

가로등 아래에 나 홀로 비칠 뿐이다

밝은 빛을 내뿜는 그대는

어쩐지 너무나 냉랭했다

그대의 외모도

그대의 행동도

그대의 표정도

여느 때와 다르지 않은데

왜 이리 차갑게만 느껴지는 걸까

하나였던 별이

두 별이 된 순간부터

그대는 우주 속의 별처럼 차가워졌다

외로움이란 모두에게 찾아오는

홀로 버텨내야 하는 시련이고

괴로움이란 언제 어디서나 찾아오는

홀로 견뎌내야 하는 고통이여

의로움이란 끝없이 이어지는

외로움과 괴로움을 이겨낸 결과다

일부러 넘어져보라

바로 일어나려 하지 말라

네가 바로 일어나는 그 순간

언젠가 다시 실수로 넘어졌을 때에

쉬는 순간 없이 일어서야 하게 되리라

내가 이 세상에서

필요한 사람이 될 때쯤이면

세상에 있던 수많은 필요했던 사람들이

더 이상 필요 없어지게 됐겠지

그대여, 멀어지소서
내게서 멀어지소서
희고 고운 그대를
검고 검은 물감에 닿게 하지 마소서

나는 그대에게 얼룩을 남길 수 있으나
그대는 나를 정화시켜줄 수 없으니
다가오지 마소서

내가 설령 순간의 욕심으로
그대에게 다가가려 하거든
나를 밀쳐 손을 더럽히지 마시고
멀리서 흰 손을 내밀어 죄책감을 갖게 하소서

그대여, 영원히 희고 빛나소서

거짓된 자여

어찌 스스로가 선하다고 내뱉는가

너를 사랑한 자들을

너도 전부 사랑했는가

너를 책망한 자들에게

너는 수용하는 오습을 보였는가

너는 용서를 베풀었는가

너는 먼저 한 것도 없고

착하게 하지도 않았거늘

어찌 스스로 선하다 말을 할 수 있는가

만약 살날이 하루밖에 남지 않았다면
누군가는 부모님에게 인사를 전하고
누군가는 사랑하는 사람에게 고백을 하고
누군가는 미워하던 자에게 분을 풀겠고
누군가는 업적 하나를 남기려 할 것이다

그럴 때에
나는 날 소중히 기억해주던 자를 찾아가리라

웃어넘겨버리기에는 너무나 무겁고

울여 지내기에는 너무나 가벼워

웃지도 울지도 못한 채

내 감정은 방황하고만 있어라

좋다고 하기에는 흠이 너무나 많이 보이고

싫다고 하기에는 정이 있으니

좋아하지도 싫어하지도 못한 채

내 마음은 방황하고만 있어라

행복하다고 하기에는 힘든 일이 너무나 많고

불행하다고 하기에는 웃을 일이 있으니

행복하지도 불행하지도 못한 채

내 인생은 방황하고만 있어라

이 글도 방황하고만 있어라

오랜 친구가 떠났다
뭐가 그리 급했던 것인지 누군가 불러서 간 것인지

같이 했던 친구들을 두고 사랑해주던 사람들을 두고
갑작스레 떠나버렸다

가지 마라
한 마디 속삭이기도 전에 눈물만 방울방울
떠나는 길에 새긴 채 홀로 다른 길로 떠나버렸다

떠난 자에게
왜 떠났냐는 말도 어디로 떠났냐는 말도
물어보지 못한 채 보내야만 했다

언젠가 다시 돌아올 때에
환한 웃음과 함께 와주기를 바라오

그대가 다시 돌아올 그때를 위해
지금은 눈물을 아껴두겠소

행복이란 무엇일까

매일을 고민하고 고민해 봐도

도우지 알 수가 없다

널 잃어버리연서

네가 주던 오든 것도

오두 사라져버려서

전형적인 것도 싫고

정형적인 것도 싫다

전형보다는 전향이 좋고

정형보다는 정향이 좋다

틀에 갇힌 삶보다는

자유롭게 나아가는 삶이 좋으니까

사랑한다는 말은 너우나 과분하고
동경한다는 말은 너우나 당연하고
좋아한다는 말은 너우나 부족하다

그대를 향한 나의 마음은
대체 어떻게 해야 표현이 될까
각 지방에 있는 어떠한 말로도
생생하게 내 맘을 전하지 못하고
안국에 있는 어떠한 좋은 말들로도
해석할 수 없는 마음이어라

난 간다

멀리 간다

돌아보지 않고 간다

후회는 하지 않는다

하지만 미련은 두고 떠난다

이마저 두고 가지 않으면

네가 영영 날 오해할까 봐

내가 멀어지려다가

네가 멀어질까 봐

사소한 것을 챙긴다는 것
작은 것을 챙긴다는 것
그것은 소중한 것

나는 너무나도 사소한 것
나는 너무나도 작은 것

사소한 것을 챙긴다는 것은 어려운 것
작은 것을 챙긴다는 것은 어려운 것

챙겨야 하는 것
챙기지 못하는 것

몸이 멀어지면

마음도 멀어진다는 말

검붉은 거짓말

내가 그대와 함께 있을 때에도

그대의 마음은

날 향한 적이 없었다

행복, 너에게 주고 싶은 것
행복, 나에게도 주고 싶은 것

행복, 누구나 주고 싶은 것

행복, 네가 나에게 줄 수 있는 것
행복, 내가 너에게 줄 수 없는 것

행복, 누구나 줄 수 없는 것

창밖으로 들리는 빗소리
차마 창밖을 내다볼 용기가 없다

빗소리가 들릴 때면
우리 사이를 가로막아 슬프다는 듯이
우산을 내팽개치고
하늘에서 내려오는 눈물을
그 맑고 예쁜 눈을 통해
뚝뚝 흘리던 그때의 그대 오습이
너무나 생생해서

그런 네가 창밖에 우산도 쓰지 않은 채
다시 나타날 것만 같아서

자유

들었을 때 굉장히 긍정적인 단어

누구나 원하는 것이라고 생각되는 단어

자유

행복이라고 착각하게 만드는 단어

책임이라는 단어를 예쁘게 포장한 단어

자유

오든 좋은 것을 가지게 해주는 단어

오든 나쁜 것을 가지게 해주는 단어

어린 시절의 나는

어른의 나는 나아지지 않았을가

조금이나마 기대를 했었다

어릴 때는

돈도 시간도 영예도

내 것이 없었으니까

어른의 나는

어른의 나도 어린 시절의 나도

부럽지가 않다

어릴 때는

내 것이 없었으니까

어른이 돼도

내 것은 없었으니까

불행을 말하고
불행을 노래하고
불행을 춤으로 표현하고
불행을 어떻게든 보이려 노력한다

사람들은 불행이 우슨 자랑이냐며
나를 비난하고 조롱하지만
내가 불행 자랑하기를 엄추지 않는 이유는
오직 하나뿐이다

나를 보는 사람들이
이런 나를 비난하고 조롱할 자격이 될 만큼
행복하기를 바라는 마음
나와 같이 불행하지 않기를 바라는 마음

잠시나마 달콤했던 순간은

잠을 잘 때 그 자체가 아니라

잠이라는 수단을 빌려

그대를 자유롭게 볼 수 있고

그대를 자유롭게 사랑할 수 있던 순간이다

매일 아침 눈을 뜨면

오늘을 걱정해야 하는데

내일 아침에 눈을 뜨기 싫다는 생각이

머릿속에 가득 차버린다

오늘조차 완성하지 못 해놓고

내일을 생각하는 것은 욕심이라 할 수 있겠지만

난 내일이 오지 않기를 바란다

오늘이 마지막이면 어떨까 생각한다

만일 오늘이 마지막이라면

내일이 오면 또 오늘이 되어

계속 생길 내일을 생각하면서

살아가야 하지 않아도 되겠다

악의 굴레를 벗어나는 방법은

내일이 오늘이 되지 않게 하는 것

내일이 오기 전에 피하는 것

오직 이것뿐이다

그렇다

난 오늘도 아무것도 아닌 사람이었다

노력하는 사람이라기엔

수동적인 사람이고

능력 있는 사람이라기엔

제대로 해낼 수 있는 게 없다

눈에 띄지 않는 곳에서

열심히 내 일을 하다 보면

언젠가는 누군가 알아줄 것이라 생각했지만

현실은 시체 마냥

아무것도 하지 못한 채

묻혀있을 뿐이다

그대 없는 세상이
무슨 의미가 있으리오

그대가 사라져버린 이 세상은
울 없는 세상에 식물이 사는 것과 같고
주인 없는 집에 홀로 남은 강아지 같으며
목적지 없는 여행과 같음이라

그대 하나 없는 이 세상은
세상의 그 누구도 그대의 자리를 채우지 못해
내겐 썩어 문드러진 흙으로 가득한 땅보다
쓸모없고 황폐한 세상이 되어버렸다

그대가 떠나고
그대의 잔상만이 이곳에 남아있다

다른 사람들은 누군가의 잔상이
자기를 괴롭힌다고 하는데
나에게는 그대의 잔상이 슬픔으로 남네요

그대가 너무 보고 싶어서인지
그대랑 함께했던 시간이 그리워서인지
그대가 주던 것이 생각나서인지
알 수 없지만

그대의 잔상이
나를 괴롭히는 것이 아니라
오히려 계속 어울렀으면 좋겠어요

나는 그대로 있는데
오든 사람이 바뀐다

나는 내 자리를 채우고 있지만
다른 사람들은 자리를
채우고 비우고 채우고 비우여
자기 자리를 지키지 않고
새로운 주인이 찾아온다

언제나 묵묵히 자리를 지키여
지켜보던 나는
그저 허망할 뿐이다

사랑과 사물 중
어느 쪽이 더 소중한가

나의 사물과
다른 사람 중
어느 쪽이 더 소중한가

위선이라는 가연을 쓰고
가식이라는 옷을 입으며
사람을 위하는 척
도덕적인 척하지 말라

너의 옴과 맘은 오직
자기만을 생각하는 이기심과
남을 미워하는 질투와 증오로
더럽혀져 있느니라

혼자 끙끙 앓으며
고민하는 모든 시간들이
나중에 내가 큰 고민을 할 때
해결되는 시간을 줄여주기를

그대를 너무나 사랑하지만
그대에게 다가가지 못하고
먼 곳에서 기다리고만 있는 내가
그대에 대한 미련을
지울 수 있게 되는 시간이 짧아지기를

그대를 향한 내 마음이
하루빨리 그대에게 전해지기를

사랑을 한다는 것은
어려운 일이고 대단한 일이다

사랑을 누구에게 줄지
정해야 하고
어떤 이유로 사랑할지
생각해야 하며
그 사랑을 주면서
아깝지 않아야 하니까

이렇게 소중한 사랑을
받는 너는 더 대단한 사람이다

미안해

내가 먼저 가게 됐어

널 두고 떠나려니 마음이 아프지만

나의 선택이 아니었던 걸 알아두길 바라

네가 없는 세상이 너무 두려워서

내가 먼저 널 떠난 것이라고 생각해 줘

헤어짐의 슬픔과 눈물은 넣어둬

우리는 나중에 다시 만나게 될 거니까

우리 나중에 다시 만나자, 꼭

내가 설령 세상을 먼저 떠나거든
내가 사랑했던 사람들에게
꼭 해주고 싶은 말이 있어

"사랑했다?"
맞지만 아니야
"아름다웠다?"
그것도 맞지만 아니야
"미안하다?"
그것도 맞긴 한데 아니야
"고맙다?"
그것도 맞는데 아니야

"그럼 뭔데?"

그대는 영원히 소중한 사람입니다

내가 사랑하는 사람은

너무나도 많은데

나를 사랑하는 사람은 없다

아무도 없다

다들 모두를 사랑한다 하고

당신을 사랑한다고

내게 말하지만

사랑이라는 상자 안에 숨겨놓은

위선과 가식 그리고 거짓

오늘도 여전히 나를 사랑하는 사람은 없다

나를 사랑한다는 말로 속이려 하고

다른 사람들을 속이려 하는

사람들의 위선과 가식 그리고 거짓만이 돌아다니고 있다

나라도 진실한 사랑을 말해본다

사람들이 말하는 가짜 사랑만 만났던 그대를 위해

나는 받아본 적 없지만 그대라도 받기를 바라는 마음에

다시 돌아오겠다고 말했지만

떠난 자는 결국 돌아오지 않았다

떠날 때에 끝이 아니라고

울지 말라고 했던 그대는

결국 나를 떠나 돌아오지 않았고

울지 말라고, 다시 돌아올 거라고 했던

그대의 모습이 떠올라 눈물을 흘린다

행복은 나의 것이 아니다
나에게 행복은
누군가를 통해서 받는 것일 뿐이다
내 안에서 온전히 만들어진 행복은
전혀 없었다

앞으로도 없을 것이다
내가 행복을 만들어내기 시작하는 순간
다른 사람들을 통해 얻어지는 행복을
소중히 여기지 않을 수 있으니까

남들을 통해 얻는 행복은
그들이 노력해서 만들어 준
소중한 선물이니까

그대 알게 된 지 여러 해

나는 그대에게

내 맘을 제대로 표현하지 못하고

여기저기 숨기기에 바쁘다

고작 나 따위가 주려는 진심은

그대에게 하찮은 것에 불과하니까

그대에게는 더럽고 부담스러울 뿐이니까

햇살은 눈부시고

한가로운 오후

문득 그대가 생각나

그대의 사진을 꺼내본다

바깥은 어두워져버렸다

그대 사진이 제일 밝고 눈부신 바람에

영원히 같은 모습으로

남아있을 줄 알았던 나는

시간 위에 이런 일 저런 일 없다 보니

어느새 떠날 때가 되어버렸다

그렇게 떠나고 싶다고

말을 하고 노래를 부르고 한숨도 쉬었는데

막상 떠나려니 아쉽고 돌아보게 된다

미련은 없지만 아쉬움은 있는 그런 느낌이랄까

우리는 때로 잊고 산다
당연한 것은 세상에 없다는 것을

내가 살아 숨 쉬는 것부터
내가 죽어 숨 멎는 것까지
당연하게 되는 것은 없다는 것을

누군가를 사랑하고 미워하는 것이
당연한 일이 아니라는 것을

그대를 보고 싶은 마음도
그대를 생각하는 순간도
그대를 바라보는 시선도
당연하지 않다는 것을

나는 때로 잊고 산다
내 맘에 그대가 있는 것이 당연하지 않다는 것을
그대가 나와 함께하는 것이 당연하지 않다는 것을

하고 싶은 것이 많은 만큼

하기 싫은 것도 많다

부자는 하고 싶지만

일은 하기 싫고

똑똑하고 싶지만

공부는 하기 싫고

다이어트는 하고 싶지만

운동은 하기 싫다

그리고 지금의 나는

목표에 달성하고 싶고

포기는 하기 싫다

낮이 끝나면 해는 떠나고

밤이 끝나면 달은 떠난다

그렇게 자기의 때가 끝나면

떠나야 하는 해와 달은 어떤 기분일까

언제나 미련 없이 떠나는 걸까

때로는 조금 더 남아있고 싶지는 않을까

우리가 흔히 말하는 짝사랑

짝도 없는데 짝사랑이란다

사랑도 나만 하고

마음고생도 나만 하는데

짝사랑이란다

이게 어찌 짝사랑인가

외사랑이지

나는 불을 많이 찾는다
불안, 불만, 불평, 불행, 불운
불을 찾으면 찾을수록
데이고 타버리는 걸 알지만
여전히 불을 찾고 있다
불 외에는 보이지가 않아서

모두가 각자의 자리에서

열심을 내고 있다

열심히 공부를 하고

열심히 일을 하고

열심히 밥을 먹고

열심히 숨을 쉰다

나는 대충 공부하고

대충 일하고

대충 밥 먹고

대충 숨 쉰다

내 자리는 이 세상에 없으니까

만약 내가 그대에게
원하는 것을 줄 수 있다면
시간을 주고 싶다

남들이 주지 못하는 금을
그대에게 선물해 주고 싶으니까
누구에게도 받을 수 없는 금을
그대만 받았으면 좋겠으니까

그건 바로 '지금'

보고 싶은 사람을
맘대로 보지 못하는 것이
얼마나 슬픈 일인지 알고 있는가

안다연 보고 싶다여
울고 있는 내게 뭐라 할 수 있는가
오른다연 보고 싶다여
울고 있는 내게 뭐라 할 수 있는가

보고 싶은 마음은
그 누구의 말로도
그 누구와의 만남으로도
해결되지 않으니라

머리는 죽기를 원하나

몸은 살기를 원하고

감정은 죽기를 원하나

이성은 살기를 원하고

돈은 나를 죽이려 하나

꿈은 나를 살리려 하고

나는 나를 죽이려 하나

남은 나를 살리려 하니

나는 살아있는 송장이오

죽어있는 생명이라

나에게 늘 웃어서

보기 좋다고 하는 너에게

너의 웃는 모습이 예뻐서 웃음이 났을 뿐

너의 뒤에서는 늘 울고 있어

많은 사람 앞에 설 때보다
한 사람을 생각할 때

많은 사람 앞에서 못하는 걸 해야 할 때보다
한 사람 앞에서 잘하는 걸 해야 할 때

많은 사람에게 생각나는 대로 말해야 할 때보다
한 사람에게 준비했던 대로 말해야 할 때

나의 심장도 손도 진동하기 시작한다
나의 눈앞도 머릿속도 하얀 빛이 뒤덮기 시작한다

많은 사람들이 웃고 떠드는 곳
그 한가운데 홀로 앉아있는 나

마음은 슬픔을 외치고
옴은 눈물을 외치라고 소리치지만
차마 내 눈은 슬픔을 흘려보낼 수 없었다

기쁜 사람들이 넘치는 곳에서
슬픔은 이상한 것에 불과하니까
웃음이 넘치는 곳에서
눈물은 관심과 외연을 동시에 가져다주니까

사랑

가장 솔직하연서도

가장 거짓된 감정

앞에서는 열심히 내뱉지만

뒤에서는 한없이 뱉어내는 오습

새로움으로 받아 놓고

익숙함으로 되돌려주는 마음

사랑, 믿음 안에서 믿을 수 없는 것

지금 잠들면

꿈에서라도 그대를 볼 수 있을까

살포시 기대하여

스르르 잠에 들어봅니다

보고 싶다 보고 싶다

되뇌기만 할 뿐

꿈속에서 기다리기만 하다가

부스스 잠에서 깨어납니다

그대를 너무나 보고 싶어

눈앞에 있는 유리창을 두들겨 보지만

유리창에 손자국만 남아

흐려지기만 할 뿐이다

그대 보고 싶은 마음에

하얀 손자국 그려진 유리창만

하염없이 닦아볼 뿐이다

겨울 아침

하늘은 밝아지는데

달은 아직 떠나지 않고 있다

달도 날씨가 추워

따뜻한 해와 함께 하여

추위를 달래보려 하는 것일까

달은 함께하고 싶은데

해는 함께 하기 싫어하니

눈물을 머금고

찬바람을 가르며 떠나는구나

내가 사라지면

누군가는 내 자리를 채운다

세상에 나라는 사람은

단 하나라고 하지만

나를 대신할 사람

아니, 나보다 대단한 사람은

세상에 차고도 넘쳐

수명이 얼마 남지 않은 건전지보다

쓸모없게 돼버렸다

자살

이것은 살인일까 아닐까

나도 사람이니까 자살은 살인일까

난 사람이 아니라서 살인이 아닌 걸까

사람

나는 사람일까 아닐까

일단 생물학적으로 사람이니까 사람일까

나약하고 무능한 존재라 사람이 아닌 걸까

우리는 때로
누군가를 사랑하게 되고는 한다

누군가는 옆에 있고
누군가는 앞에 있고
누군가는 옆에 있었으면 좋겠고
누군가는 앞에 있었으면 좋겠는
다른 누군가를 사랑하게 된다

지금 내가 사랑하는 누군가는
내 근처에 있어도
내 근처에 있지 않아도
언제나처럼 여전히
사랑하고 있을 뿐이다

지난 많은 시간들

흐르고 있는 지금 이 순간

앞으로 남은 많은 날들

너를 알기 시작한 순간부터

오든 시간, 오든 순간, 오든 날들을

너에게 쓰기 시작했다

내 시간을

네가 가질 수는 없지만

너의 시간이 나 때문에

우의미하게 사용되는 것보다는

나의 시간이 너 덕분에

소중하게 사용되는 게 나으니까

넌 언제나 그대로였지

그대로 예뻤고

그대로 착했고

그대로 밝았지

그런데 난

네가 그대로가 아니었으면 좋겠어

지치면 한숨도 쉬고

외롭거나 슬플 때면 울기도 하고

화가 나면 성질도 내는

너의 모습도 보여줬으면 좋겠어

그대 앞에 내가 있다는 것이
나의 행복을 위해 그대를 본다는 것이
과연 그대에게도 행복한 일일까요?
아니, 그대에게는 괜찮은 일일까요?

내 앞에서는 늘 웃고만 있는 그대라
내 맘은 그저 긴장만 하고 있어요
괜찮으면 괜찮다고, 싫으면 싫다고
내게 한 번만이라도 말해주면 안 될까요?

난 오늘도 기다리고 있어요
그대 내게 대답해 주기를
언제까지나 기다리고 있을게요
그대 내게 대답해 주기를

저에게 평생 싫은 티 안 낼 자신 있나요?

저에게 평생 괜찮은 척할 자신 있나요?

저에게 평생 미소 지을 자신 있나요?

저에게 평생 이렇지 못할 거라연

지금이라도 싫다고 말하세요

후회하기 전에 행동하는 게 좋다고
후회하더라도 행동하는 게 낫다고
후회할 바에는 행동하는 게 옳다고
사람들은 내게 질리도록 말하지만

내가 좋아하는 사람이
내가 소중하게 생각하는 사람이
상처받는 게 싫어서
힘들어지는 게 싫어서
난감해지는 게 싫어서
할 수 있는 일은 가만히 있는 것뿐입니다

슬픔만 가득한 인생

불행만 가득한 인생

살기 싫어 눈물 나고

서러워서 눈물 나고

무엇을 위해

지금까지 버티며 살아왔는지

무엇을 위해

계속 버티며 살아야 하는지

이유도 없고 목적도 없는 삶이

무슨 의미가 있을까

가장 먼 곳에 있는 사람이

보고 싶을 때는 어떻게 해야 할까

모든 것을 포기하고 그 사람을 보러 가야 할까

그 사람을 포기하고 모든 것을 유지해야 할까

사랑이란

상대는 알아주지 않아도

상대는 내게 주지 않아도

상대는 날 봐주지 않아도

그대를 알아주는 것

그대에게 주는 것

그대를 봐주는 것

일찍이 고통에서 벗어나려는 나를
자신들의 욕심과 미련으로 붙잡아 놓고
자기들의 이기심으로 나를 괴롭히니
누가 떠나게 되든 하루빨리 이별하고 싶구나

죽음은 삶에서 진 빚들을

갚는 순간이다

세상의 것들을 빌려 썼으니

대가로 생영을 가져가는 것이다

당신이 살면서 괴롭힌 생영의 수를 생각해 보라

너의 생영 하나쯤은 거둬짐이 아무것도 아님이라

어쩌면 다시는 돌아오지 못할 거라

속으로 울면서 그대만 생각하던 나는

그대가 아직 떠나지 않았다고

나는 돌아오겠다고 말하는 그대의 오습을 보니

기쁨의 눈물을 흘려봅니다

돌아오겠다는 그대의 말

나는 믿어요

이제 더 이상 떠나지 말아요

나의 곁에 있지 않아도 좋아요

그저 사라지지만 말아줘요

눈앞에서 떠나지 말아요

그대는 아무 말이 없었고

나도 아무 말 없이 그대를 기다렸어요

드디어 그대가 말을 하네요

나는 어떤 말도 못 한 채 눈물만 차오르네요

그대는 나를 생각하지 않았대도

나를 잊었대도

나는 그대를 항상 잊지 않고 생각하고 있어요

보고 싶어요, 그대

사랑해요, 그대

떠나지 말아요, 그대

당신이 돌아와서 참 기쁜데
당신에게 어떤 말도 할 수 없어서
안타깝고 슬프고 답답할 뿐입니다
맘속에 머릿속에 입속에
해주고 싶은 좋은 말들이 많은데
속에만 담아두고 있으니
안타까움이 흘러넘칩니다

나는 때때로 죽음에 대해 생각을 하곤 한다
내가 죽는다면 누가 나를 기억해 줄지
죽게 되면 나는 어느 곳에서 어떤 모습일지
죽어서 가게 된 곳은 어떤 곳인지
나의 죽음에 진심으로 슬퍼해주는 사람이 몇 명이나 되는지

워, 여기까지는 긍정적인 생각이라고 볼 수 있겠다
하지만 진짜 생각은 지금부터다

내가 사랑하던 사람들은 나를 좋게 봐왔을까
내가 죽은 뒤에 뒤에서 날 욕하는 사람들이 얼마나 될지
내가 죽음을 기뻐하는 사람도 있을 수 있겠다
내가 가지고 있던 물건들을 소중히 가지고 있을까
그냥 필요 없다고 맘대로 버리지 않을까
결국 나의 존재는 세상에서 완전히 잊히게 되는 것 아닐까
내가 죽기 전에 글로 남겨놓은 부탁들을 들어줄까
귀찮다는 이유로 그냥 종이 쪼가리만
어디 처박아둔 채 넘어가지 않을까

이렇게 많은 생각들을 하고 나면
늘 같은 결론에 도달하게 된다
나는 왜 사는 걸까
힘든 세상이 뭐가 그리 좋다고 이렇게 버티고 있을까

그대가 행복해질 수 있다면

불행하지 않을 수라도 있다면

난 투명 인간이 될 준비도

돌이 될 준비도

제물이 될 준비도 되어있어요

그대여

언제쯤에야 제가 필요해지게 될가요

어떻게 해야 제게 시선을 주게 될가요

나의 돈도

나의 생영도

오두 그대를 위한 것이오

나는 늘 준비가 되어있으니

언제든 필요하면

나를 불러주시오

그대의 부름이라면

어떻게든 응답할 테니

내게 이름 한 번만 불러주시오

내게 손짓 한 번만 해주시오

동경하오

연오하오

때론 가가운 사람이

가장 미운 법이다

가깝다는 이유로

선이 없다고 생각하고

함부로 말하고 행동하면

선을 확실히 그어 보여줄 수밖에 없다

이 선을 본 사람들 중

갑자기 이 선이 뭐냐고 묻는 사람들

선을 갑자기 왜 긋냐고 하는 사람들

이 정도도 이해 못 해주냐고 하는 사람들

이 사람들이야말로

정말 멀리해야 할 사람들이다

너의 고통은 무시한 채

선을 넘고 들어와

너를 괴롭히고 고통받게 할 사람들이니까

제발 살려주세요

너무 힘들어요

제가 동경하는 사람을

제발 살려주세요

혼자 남아 그리워만 하려니

너무 힘들어요

뭐든지 시작은 쉽다
끝이 어려울 뿐

안냥보다 헤어짐이 어렵고
일을 시작하는 것보다 완료하는 게 어렵고
말을 시작하는 것보다 마우리하는 게 어렵고
자는 것보다 깨어나는 게 어렵지 않은가

지금 이 글도
아우 생각 없이 쓰기 시작했는데
어떻게 끝내야 할지 참 어렵다

때로는 넘어지기도 하고
때로는 일어서기도 하연서
넘어지지 않으려고 애쓰고
일어나는 법을 배운다

힘들다
넘어지지 않으려니
아프다
상처 난 다리를 억지로 일으키려니

넘어져도 상처가 나지 않는다연
아프지 않는다연 얼마나 좋을까

글쎄, 아마 최악일 것이다
상처도 아픔도 없어진다연
누구나 계속 넘어져 자기를 괴롭힐 테니까

나는 무엇을 위해

길을 걷고 뛰고 기어갔는가

나는 누구를 위해

악착같이 힘들게 억지로 버텨왔는가

나를 위해

그 무엇도 만들어진 게 없고

나를 위해

그 누구도 생각하는 자 없는

이 세상에서

대체 어떤 이유로

언제 끝나게 될지 모르는

마라톤을 하고 있는 것인가

없어지면 끝이고

헤어지면 남인 것을

대체 어떤 이유로

중도 포기하지 않고

아직까지 길 한가운데에서 달리고 있는가

날 미워해도 좋아요
날 따돌려도 좋아요
날 저주해도 좋아요

그대에게 이용당하고
바보같이 속아넘어가고
괴롭힘당하더라도 상관없어요

당신은 날 이미 살려줬잖아요
당신이 지금까지 절 살렸잖아요
당신 덕분에 살아남았는 걸요

시간이 흐르고
많은 것들이 변한다 해도
단 두 가지는 변하지 않아요

하나는 당신이 저의 생명의 은인이었다는 것
다른 하나는 이 글은 당신을 향한
미안함과 죄책감 덩어리라는 것

사진도 이름도 번호도

모두 필요 없다

내가 사랑하는 그대의 모든 것을 다 알아도

그대에게 나를 전부 알려줘도

그대의 관심은커녕 눈길조차 다른 곳에 향해 있을 테니

삶을 포기해야 할 때가 절대로 온다

그게 언제일지 어디서일지

어떻게일지는 아무도 모르지만

확실한 건

언젠가는 누구든지

포기해야 한다는 것이다

자의든, 타의든

그대가 다른 모습이어도

나는 그대를 사랑했을까?

그대를 다른 곳에서 만났어도

나는 그대에게 관심을 가졌을까?

그대의 목소리가 달랐어도

나는 그대의 말에 집중했을까?

그대의 외모를

그대가 다니는 곳을

그대의 목소리를

평하하지 마세요

그대와 관련된 모든 것을

평하하지 마세요

그대를 그대로

자랑스럽게 여기세요

나는 사랑을 사랑하지 않았다
내게 사랑이라는 존재는
고난과 고통을 주고
나를 괴롭고 힘들게 하여
세상에 악이 넘치게 하는 존재니까

그러던 어느 날
나에게 위로를 건네주고
삶의 의지를 주던 그대를 만났다

모든 것을 내려놓은 채
잠깐의 여정을 마치고
돌아가기 전
보고 싶었던 사람을 만나러 갔다가
우연히 필연적으로 그대를 만났다

그때 그대를 만나지 않았더라면
그대의 한 마디가 아니었다면
나는 진작 여정을 마치고
왔던 곳으로 다시 돌아갔을 것이다
지금 이 순간도
그대에게 너무나 감사하다

해가 세상을 밝히는

지금 이 시간까지

내 눈은 쉬지 않았다

달은 자러 가고

해는 자고 온 이 시간

나는 자지 않았다

그대가 자고 있는 시간이라연

나는 깨어있어야 하니까

그대가 깨어 있는 시간이라연

나도 깨어있어야 하니까

현실이라는 장애물 때문에
삶이라는 이유 때문에
그대를 만나지 못하는 내 맘을
그대는 알까요

지금 이 글을 쓰면서도
차오르는 분노와 슬픔
그대를 향한 미안함과 죄책감
그대는 알까요

행여 내가 변했다고 생각할까
그대를 더 이상 찾지 않는다고 생각할까
초조해하고 불안해하는 이 심정
그대는 알까요

나라는 사람이
하찮고 보잘것없는 사람이
그대만 생각하고 있는데
그대는 알까요

부끄럽도다

내가 동경하는 그 사람을

고통 속에 빠지도록 놔뒀다는 게

비난과 오욕이 눈 속에 들어가도록 했다는 게

부끄럽도다

내가 사랑하는 그 사람이

괜찮다고 말하는 것만 봐야 한다는 게

힘들어할 때 옆에 있어주지 못했다는 게

부끄럽도다

내가 연오하는 그 사람과

대화 한 마디 제대로 나눌 수 없다는 게

힘들어하는 마음을 나누지 못해줬다는 게

무언가에 집중한다는 것은
한 가지를 유심히 본다는 것
한 가지를 완벽에 가깝게 해낸다는 것
한 가지를 간절히 원한다는 것

무언가에 집중한다는 것은
다른 것들을 보지 못한다는 것
다른 것들을 해내지 못한다는 것
다른 것들을 이루지 못한다는 것

언젠가 내게 물었다

어디가 좋냐고

왜 자기를 그렇게 좋아하냐고

제대로 대답도 못한 채

어버버거리다가 대화는 끝이 나버렸다

그 후에 한참을 생각했다

대체 왜 좋아한 걸까

처음 만났을 때를 떠올려보니

크게 다가오는 것도 없었고

보다 보니 정이 들었다기에는

오랜 시간을 함께 보내지도 않았는데

대체 왜 좋아한 걸까

이런저런 이유를 고민하던 중

답이 나왔다

'날 향해 진심으로 웃음 지어주던 너라서'

가수는 노래를 하고
배우는 연기를 하고
화가는 작화를 한다

감정을 전달하기 위해
생각을 공유하기 위해
마음을 표현하기 위해

그리고 나는 글을 쓴다
작가가 되기 위해
메시지를 전하기 위해
그대를 향한 나의 진심들이
그대에게까지 닿게 하기 위해

사랑이라는 단어를 핑계로

많은 사람들을 괴롭게 한다연

그것은 정녕 사랑인 것인가

사랑이라는 이유로

자기를 이해하기를 바라고

상대를 피곤하게 만들고

남들을 함부로 내쳐도 되는 것인가

그것은 정녕 사랑인 것인가

오늘도 열심히 일하는 사람들을 보니

그대가 떠오릅니다

본업에도 열심이고

사람들에게도 열심이고

여러 가지 다른 일들에도 열심인

그대가 떠오릅니다

고작 앉아서 글을 쓰는 나보다

훨씬 열심을 내고 힘들었을 그대에게

닿지 못할 메시지를 전해봅니다

수고했습니다

존경스럽습니다

감사합니다

열심히 살다 보연

부자에 가까워지는 것도

꿈에 가까워지는 것도

사랑에 가까워지는 것도 아니다

언제 마주치게 될지 모를

죽음과 가까워지는 것이다

열심히 살다 보연

돈도 꿈도 사랑도

결국 모두 세상에 남겨둔 채

죽음에 닿게 되는 것이다

내가 만약 다른 걸로 변할 수 있다면
달이 되고 싶다

내가 사랑하는 사람의
어두운 밤길을 밝혀주고
사랑하는 사람을
매일 볼 수 있고
사랑하는 사람이
바라봐 줄 테니까

오늘 밤 그대가 올린
달 사진을 보여
또 한 번 생각해 본다

내가 만약 다른 걸로 변할 수 있다면
달이 되고 싶다

내가 사랑하던 사람에게

배신당하는 것만큼

큰 괴로움은 없다

그렇게 믿고 또 믿으여

나의 마음을 쏟아부었던 사람에게

배신당하는 것만큼

큰 괴로움은 없다

이렇게 생각하던 내게

어느 날 들어온 생각 한 줄

'나를 사랑해 주던 사람도 이런 맘이었을까?'

뒤이어 들어온 생각 한 줄

'내가 사랑해 주는 사람도 이런 생각을 할까?'

지식을 아무리 가지고
재산이 차고 넘치고
지위가 높디높아도
사랑이 될 수 없다

지혜를 가지고
배려를 잘 하고
공감을 할 줄 알 때야
비로소 사랑이 될 수 있다

가난 때문에

꿈이 멀어지고

계획이 무산되고

사랑은 생각도 없고

희망은 안중에도 없다

살아있는 것조차 고통스럽다

모든 것을 포기하고

고통에서 벗어나고 싶지만

단 하나 때문에

차마 떠나지 못한 채 남아있다

바로

동경하는 그대

그대는 나 따위가 뭐라고

저에게 관심을 주었나요

나 같은 게 뭐라고

제게 말을 걸어주었나요

나라는 미천한 존재가 뭐라고

저한테 친절하게 대해주었나요

대체 제가 뭐라고

그대에게 이리 많은 것을 받을 수 있었던 걸가요

대체 그대는 왜

아무것도 아닌 제게 많은 것을 전해주었나요

대체 왜

귀한 그대가 천한 저를 알게 되었나요

분명 잘못된 일도 아니고
슬픈 일도 아닌데
자꾸만 눈물이 나려 하네요

가지고 싶다는 욕심도 없었고
가질 수 있다는 마음도 없었지만
자꾸만 눈물이 나려 하네요

사진 속 얼굴은 환하게 웃고 있고
내 마음은 축복과 행복을 빌연서도
자꾸만 눈물이 나려 하네요

당신의 오든 앞날에

행복이 넘치길 바라고

축복이 가득하길 소망하고

사랑이 충만하길 원합니다

저는 가게 될지 오르지만

언저 가게 된 그대여

부디 떠나가서 돌아오지 말아요

앞서 갔던 그 길 그대로

계속 걸어가길 바라요

절대 다시 돌아오지 말아요

151

가수는 늘 노래하고
배우는 늘 연기하고
희극인은 늘 웃기고
의사는 늘 치료하고
교사는 늘 가르치고
학생은 늘 공부하고
작가는 늘 글 쓴다

가수는 듣는 사람이 없어도 늘 노래하고
배우는 공감이 안 돼도 늘 연기하고
희극인은 슬퍼도 늘 웃기고
의사는 아파도 늘 치료하고
교사는 학부오에게 시달려도 늘 가르치고
학생은 꿈이 없어도 늘 공부하고
작가는 말하지 못해 늘 글 쓴다

문득 얼음을 보니 그대가 떠오른다

얼어있는 얼음 그대로의 오습은

눈앞에 있던 그대의 오습 같고

녹아서 물이 되어 있는 오습은

내 기억 속에 스며든 그대의 오습들 같고

증발해서 수증기가 되어버린 오습은

눈 떴을 때는 볼 수 없는 꿈속의 그대 오습 같다

태어남에 우슨 의미가 있는가
가족과의 단란함
친구와의 대화에서 느끼는 즐거움
이상형을 발견했을 때의 설렘
평생을 함께할 동반자와의 안남
이외에 우슨 의미가 있는가

나는 그대를 수없이 괴롭혔을지 오른다
아니, 그대를 수없이 괴롭혔다

힘들다는 이유로 그대를 찾았고
행복하고 싶다는 이유로 그대를 찾았고
소중하다는 이유로 그대를 찾았고
그대를 잊어야 할 이유가 없다는 이유로 그대를 찾았고
정말 세상에서 댈 수 있는 모든 이유로 그대를 찾았다

고맙다는 말로 질리게 하고
미안하다는 말로 질리게 하고
소중하다는 말로 질리게 하고
애정하다는 말로 질리게 하고
모든 말로 그대를 질리게 했다

나는 아직도 수없이 그대를 괴롭히고 있을지 오른다
아니, 그대를 수없이 괴롭히고 있다

오늘도 힘든 하루였어
내일도 힘든 하루겠지?
어제도 힘든 하루였으니까

다들 내일이면 행복해질 수 있다고
오늘 하루만 더 버티라고
어제도 잘 견뎌냈지 않았냐고

잘 견딘 적
더 버틸 힘
행복할 거라는 자신
사실 어제도 없었고
오늘도 없고
내일도 없을 거다

행복을 얻기 위해 노력하는 자여

진정한 행복이란

노력으로 얻는 것이 아니며

노력한다고 원하는 만큼의 행복을

얻게 되는 것도 아니다

진정한 행복은

너의 힘도 돈도 능력도

전혀 신경쓰지 않고

슬여시 찾아와 스며드는 것이다

네가 찾지 말고 너를 찾아와야 한다

수미상관
처음과 끝이 같다

인생에 수미상관이란 없다
탄생으로 시작해서 죽음으로 끝나고
만남으로 시작해서 이별로 끝난다
도움으로 시작해서 혼자로 끝난다
유아로 시작해서 노인으로 끝난다

아니, 있다
그대를 향한 마음은
처음 생겼을 때부터
내 생을 마감할 그 순간까지
똑같을 테니까

안녕, 과거의 나 자신아

너는 잘 지냈니?

아마 잘 못 지냈겠지

지금의 나를 위해서

많이 희생을 했으니까 말이지

그런데 너에게 정말 미안해

너 덕분에 지금의 나도 있게 됐는데

너의 노력이 우색하게도

지금의 나는 너무나 힘들고 행복하지 않아

미래의 나를 위해 인내하고 희생할 자신이 없어

과거의 나, 미래의 나 오두 미안

다른 사람들을
최대한 좋게 보기 위해
어떻게든 장점을 찾아냈다
그렇게 사람들의 장점들을
하나둘씩 찾아내다 보니
굉장히 많은 사람들의
많은 장점들을 찾아냈다

발견한 수많은 사람들의 장점이
내겐 하나도 없다는 걸 깨달았고
사람들의 장점은 내게 단점으로 다가왔다

난 단점으로 도배된 단점 결정체였다

웃는 오습을 보면

매사에 긍정적인 오습이 존경스럽고

우는 오습을 보면

눈물 흘리는 것을 창피해하지 않는 오습이 존경스럽고

사람들 앞에서 말하는 오습을 보면

시선을 신경 쓰지 않는 당당한 오습이 존경스럽고

다른 사람과 대화하는 오습을 보면

잘 들어주고 공감해주는 오습이 존경스럽고

꿈을 위해 노력하는 오습을 보면

열정과 패기가 넘치는 오습이 존경스럽고

꿈을 이룬 그대의 오습을 보면

더 발전하여 또 다른 꿈을 이루려는 오습이 존경스럽고

오든 오습을 보면

오든 이유로 그대의 오습이 존경스럽다

나는 벌레가 우섭다

사람들은 내게 말한다

벌레도 너를 우서워한다고

너보다 벌레가 더 우서워할 거라고

덩치도 훨씬 큰 게 이 조그마한 걸 우서워한다고

키가 큰 사람은 작은 사람을 우서워하면 안 되고

덩치가 큰 사람은 작은 사람을 우서워하면 안 되고

힘이 센 사람은 약한 사람을 우서워하면 안 되는 건가

크고 강하면 우조건 당당하고 겁 없이 살아야 하는가

작고 약하면 우조건 소심하고 겁먹은 채 살아야 하는가

너 나 싫어하잖아

너는 내가 이런 모습 싫잖아

넌 못생긴 내 외모도 싫어하고

내 소심한 성격도 싫어하잖아

우울함에 늘 젖어 있는 내 모습 싫어하잖아

불안도 많고 걱정도 많은데

무엇 하나 해결하지 못하는 것도 싫잖아

너는 내가 살아있는 것조차 싫잖아

이렇게 나의 모든 걸 싫어하면서

좋아하는 거 딱 하나 있잖아

내가 죽어버리는 거

근데 너도 같이 죽으니까 싫어하는 거잖아

내가 한없이 믿었던 그대가

나를 믿지 못함으로

내게 배신감을 준다면

지금까지 믿어왔던

모든 사람들을 의심할 것이며

누구에게도 고하지 않은 채

모두의 곁에서 멀리 떠나겠노라

대신 메시지 하나를 남기겠노라

"나는 그대를 위해 늘 최선을 다했다"

설령 내가 떠난 후 내 진심을 알게 된들

그대는 슬피 울뿐

먼 곳에서 억울함에 우는 나를

다시 데려오지 못하노라

어느덧 그대를 보낸 지도 오랜 시간이 흘렀군요
분명 하루 이틀이 지난 것도 아닌데
자고 일어나면 그대가 있을 것 같고
그대를 만나러 갈 준비를 해야 할 것 같네요

어제보다 오늘, 오늘보다 내일
더 아름다워지는 그대의 모습이
자꾸만 머릿속부터 눈앞까지 그려지네요

그대를 알아서 감사한데 그대가 떠나 서글프고
그대를 봤었음에 또 감사하다가도
그대를 더 이상 볼 수 없음에 또 서글퍼지네요

그대와의 추억들은 이제 맘속에 고이 묻어 두려합니다
그대에게 써줬던 편지들, 그대에게 해줬던 말들
제가 묻어둔 추억들처럼 고이 담아두었으면 좋겠습니다

혹시라도 정말 연이 되어 다시 보게 될 날이 온다면
그대에게 한 마디만 해주고 싶은데
그 한 마디는 비밀로 남겨두겠습니다
혹시 오를 그 언젠가를 위해

웅덩이에 빗물이 한 방울 두 방울

어느새 고여 버린 물은

바람에 따라 흔들리며

웅덩이 안에서 요동치고만 있다

한 방울 두 방울 떨어져 고인 물의 이름은

사랑이오

물을 요동치게 하는 바람의 이름은

조건이며

흔들림과 요동침의 이름은

각각 시련과 유혹이고

웅덩이의 이름은

마음이더라

돈이 많고 싶은 이유는 단 하나
불행의 요소들을 없애버릴 수 있으니까

남들에게 내 자존심을 팔 필요도 없고
가족이 싸우고 힘들어하는 모습을 안 봐도 되고
주변 사람들에게 베풀어 행복을 느낄 수 있고
내가 하고 싶은 것들을 원할 때 바로 할 수 있으니까

왼손잡이에 대해 어떻게 생각하는가

난 왼손잡이를 보여 대단하다고 생각했다
나는 왼손을 잘 못 쓰는데
내가 오른손을 쓰듯이 자유자재로 쓰니까

난 왼손잡이를 보여 개성 있다고 생각했다
다들 오른손을 주로 사용하여 생활하는데
왼손을 주로 사용한다는 게 특별하지 않은가

그런데 세상은 왼손잡이를 차별한다
다수가 오른손잡이라는 이유로
모든 것들을 오른손 기준으로 가르친다

세상은 왼손잡이를 평가한다
뭐든지 실수하고 못 하면 그저 왼손잡이라는 이유로
왼손잡이를 폄하하고 비난하고 깎아내린다
본인들이 왼손 사용법을 가르쳐준 적도 없으면서

과연 왼손잡이만 차별과 평가, 폄하와 비하를 당할까
어쩌면 모든 소수의 재능 있는 자들의 모습이 아닐까

과거에는 행복함이 가득했고
낭만이 충만했다

현실이라는 벽에 부딪히고
한계라는 매를 맞으며
행복의 복이 없어지고
낭만의 낭이 사라졌다

이전에 있었던 좋은 것들은
오두 타버린 채
불이 붙은 채로 남아있다

즐길 거 다 즐기고

누릴 거 다 누리면

일은 언제하고

결혼은 또 언제하고

철은 언제 들 거냐고 하는데

일할 거 다 일하고

결혼까지 해버리면

즐길 건 언제 즐기고

누릴 건 언제 누리는데

언제야 철들기 전처럼 자유로울 수 있는데

검은색이 언제부턴가 모든 부정적인 이미지를 흡수했다

어두울 때도 검정을 말하고

누군가 죽었을 때도 검정을 찾고

우울함도 검정으로 표현한다

막상 검은색을 살펴보면 긍정이 참 많이 스며들어있다

더울 때 시원한 그늘도 검정

좋은 글들의 글씨도 모두 검정

차들이 달리는 도로도 검정

부정적인 것들이 검은색으로 표현되는 이유는

사람들이 악한 마음을 검은색에 묻혀서가 아닐까

이성적인 사람은

공감을 이해로 해석한다

감성적인 사람은

대책을 공격으로 흡수한다

이렇게 서로가 자기만의 방식으로

대화를 나누다 보면

결국 서로가 도달하는 결론은

오해와 다툼뿐이다

세상을 살면서

단 한 사람이라도

나를 알아주었으면 하는 바람에

열심히 살아왔는데

결국 남은 건

사람들 머릿속의 내가 아니라

내 머릿속의 사람들이었다

사람들은 내 기억에 남기 위해

열심을 내지 않았는데

왜 내 머릿속에 자리 잡았을까

나는 사람들 기억에 남기 위해

열심을 내고 냈는데

왜 사람들 머릿속에 내 자리는 없었을까

열심을 내는 건 중요하지 않았다

그저 상대가 내게 관심이 있었는지가 중요했을 뿐

오늘도 착하게 살겠다 다짐했는데

화를 내고 말았습니다

유하게 살겠다 다짐했는데

지적을 하고 말았습니다

저는 나쁜 사람입니다

수많은 날들을

부당함과 스트레스 가운데서 버티고 버티다

화를 내고 말았습니다

지적을 하고 말았습니다

수많은 사람들은

매일 같이 화를 내고 지적해도 용서 받던데

오늘 하루안 화내고 지적한 저를 용서해주세요

그동안 겪었던 불편함과 부당함을 참고 살았습니다

이것이 저의 죄입니다

저는 나쁜 사람입니다

우울한 마음에

친구에게 연락을 하니

네가 한가하고 여유로워서 그런 거라여

바쁘면 우울해질 순간이 없다고 말한다

바쁘고 힘든 일상에 지쳐 우울해진 건데

한 사람을 사랑한다는 건
그만큼 한 사람한테 집중한다는 것

맞아
맞는데 집중만 하자
집착은 하지 말자

상대는 나에게서 시선을 거뒀는데
나만 상대에게 집중하면
그게 바로 집착이야

부오라는 말은

우족하고 오자란 존재라는 말의 줄임말이다

정작 부오들은

부오라는 자리와 이름을 이용해 자녀들에게

부당하게 대우하고

오질게 대한다

달이 지고 해가 뜨는 새벽을 뜬눈으로 지새우고 있다
일하는 것도 아니고 잠이 안 오는 것도 아닌데
눈을 뜨고 버티고 있다

몇 시간 뒤 있을 일정을 소화하기 위해
혹시나 계획해놓은 일을 지키지 못하게 될까봐

인간은 이런 존재다
당장 가까운 미래도 어떻게 될지 모른 채
더 먼 미래를 생각하고 걱정하다가
현재를 놓쳐버리고 현재에 손해를 보게 된다

현재는 결국 과거가 되어버리고
지난 현재에서 놓친 것들을 메꾸려
새로 다가오는 현재를 소모해버린다

이미 지나가버린 현재들도 앞으로 다가올 현재들도
모두 신경 쓰지 말자
그저 지금 주어진 현재를
후에 후회하지 않도록 즐기자
이게 바로 현재에 대한 최선이고 예의가 아닐까 싶다

내 눈앞에 있던 사람들보다

내 눈 밖에 있던 사람들을 더 사랑했고

내 곁에 있던 사람들보다

내 곁에 없던 사람들에게 더 신경 썼다

내 눈앞에 있고 내 곁에 있는 사람들은

더 사랑해주지 못하고

더 신경써주지 못해서

미안하지는 않다

내게서 가까운 사람일수록

더 상처를 받았고 신경이 거슬렸으니까

나에게 행복을 주고 위로를 해주고 웃음을 준 건

내게서 언 사람들이었으니까

힘들게 받아낸 사랑과 신경을

밑 빠진 독에 왜 부어야 하는가

내게 돌아오지 못할 곳에 투자할 필요가 무엇이 있을까

정녕 죽음이 내 눈앞에 온다연

피할 수 없으니 즐길 수 있겠는가

죽음을 최대한 우덤덩하게 받아들이려

노력할 수는 있어도

행복하게 즐겁게 받아들일 수 있는가

불행에게서 도망치고자

죽음을 선택한 자들마저도

죽음을 행복하게 즐겁게 받아들였겠는가

행복함은 지극히 짧더라
순간의 욕심과 충동으로
안들어내는 일회용품이더라

우울함은 지극히 길더라
평생의 고통과 스트레스, 가난과 이별
그리고 수많은 부정적 요소들 중
하나라도 있으면 안들어지는 다회용품이더라
심지어 같은 재료로 또 안들 수 있는 재활용품이더라

고난을 이겨내면 행복이 온다고
버티고 버티다 보면 좋은 날이 올 거라고
낙이라는 건 고생 뒤에 오는 거라고
지금 너무나 힘든 나를 위해
사람들은 위로의 한 마디를 건넨다

위로를 해주려는
사람들의 마음은 진심으로 감사하지만
머릿속에서는 다른 생각 밖에 들지를 않습니다

행복이고 좋은 날이고 낙이고 뭐고
이런 거창하고 좋은 보상들 필요 없으니까
제발 날 평범하게 안들어줘
나를 자유롭게 풀어줘

슬프고 힘든 사람은 웃지 말라는 법은 없잖아
아프고 고통스러운 사람은 찡그리고만 있어야 한다는 법도 없고
기쁘고 행복한 사람은 웃지 않으연 안 된다는 법도 없지

표정이란 게 적재적소에 맞게
얼굴에 주입하는 게 아니잖아?

때로는 슬퍼도 이겨내보려 억지로 웃을 수도 있는 거고
아파도 티 내지 않으려 아무렇지 않은 척하기도 하고
기쁨이 벅차오르다 못해 넘치면 눈물이 되어 표출되기도 하는 거지
안 그래?

명심해
네가 어떤 상황에 어떤 표정을 짓든
잘못된 건 하나도 없어
네가 지은 표정이 맞는 표정이야
정답 따위는 없어
네가 자연스럽디고 생각하면 그걸로 됐고
네가 짓고 싶은 표정이연 그걸로 된 거야

수영

오든 존재의 남은 생존 시간

수영이 얼마 남지 않았다는 것은

죽음으로 가까워지고 있다는 거겠지

사실 삶이란 그런 게 아닐까?

죽음이라는 목표를 이루기를 기다리며

남은 시간들을 때우는 것

우리가 삶을 살다 죽음을 맞이하는 것이 아니라

죽음을 위해 삶이 존재하는 것일지도 오르지

비어있는 공간에
감정을 여기저기서 얻어
조금씩 조금씩
차곡차곡 쌓아 나간다

그러다 항아리에 감정들이 가득히 쌓여
더 이상 담을 곳이 없으니
이제 기존에 있던 감정들은
사람들에게 나눠줘야겠다는 생각이 든다

이렇게 내딛기 시작한다
공감의 첫걸음

아름다웠던 그대가 떠났다

찬란하게 빛나던 별

아름답게 만개한 꽃

눈부시게 비치던 빛

어느샌가 떠나가 버리고

난 여느 때처럼 홀로 우두커니 남아 있다

혹시 그대일가 싶어

밤하늘도 한 번 보고

길가에 피어있는 꽃들도 구경하고

어두운 밤길을 비춰주는 가로등도 스윽 보고 간다

늘 혹시나하는 마음은

늘 역시나로 끝나버렸다

당신의 내면을 들여다 보라
어떤 오습이 보이는가

누군가를 사랑하는 오습?
홀로 외로이 울고 있는 오습?
선하게 사람을 대하는 오습?
음흉하게 누군가를 노려보는 오습?

당신의 행동을 돌이켜 보라
어떤 행동이 보이는가
당신의 내면과 같은 오습인가

지금 보는 그대의 내면이 진짜 오습인가
지금 하는 그대의 행동이 진짜 오습인가
둘 다 진짜 당신의 오습인가
혹시 둘 다 가짜 오습은 아닌가

이 책을 마치며

인생에는 정답이란 없습니다.
글귀들이 길이, 형식, 주제 모두 일정하지 않은 게
마치 우리네 인생 같지 않나요?

이 책을 읽으면서
뒤죽박죽이고 두서없다는 생각이 들었다면
이는 작가의 의도였음을 알려드립니다.

혹시 눈치를 채셨을지 모르겠지만
글귀들에는 마침표가 하나도 없었습니다.
살면서 적어놓은 채로 모아두었던 글귀들로
간신히 책 한 권이 만들어지긴 했지만
인생은 아직 끝나지 않았기에,
앞으로의 인생에 어떤 수많은 글귀들이
이어지게 될지 모르기에 마침표는 쓰지 않았습니다.

마무리 인사

글을 쓸 때 저의 모토는
"글의 완성은 독자에게서 나온다."입니다.

당신의 해석이 곧 책의 완성입니다.
이 책을 어떻게 완성시켰을지 굉장히 궁금하네요.

어떻게 완성을 시키셨든지
더 좋은 완성, 더 나쁜 완성도 없고
맞는 완성, 틀린 완성도 없습니다.
당신의 완성이 곧 완벽한 완성입니다.

지금까지 힘들고 치열하게 살아온 당신에게
앞으로는 좋은 일들만 가득하길 바랍니다.

읽어주셔서 감사하다는 말씀드립니다.

종이로 느끼는 공감

발　행 | 2024년 06월 10일
저　자 | 행시인
펴낸이 | 한건희
펴낸곳 | 주식회사 부크크
출판사등록 | 2014.07.15.(제2014-16호)
주　소 | 서울특별시 금천구 가산디지털1로 119 SK트윈타워 A동 305호
전　화 | 1670-8316
이메일 | info@bookk.co.kr

ISBN | 979-11-410-8876-7